L'Histoire de France en BD

Livre I

De la préhistoire à l'an mil

Texte
Dominique Joly
Dessins
Bruno Heitz

casterman

ISBN 978-2-203-02609-4
Dépôt légal : mars 2010 D. 2010/0053/215
N° d'édition : L.10EJDN000631.C007
Déposé au ministère de la Justice, Paris
(loi n°49.956 du 16 juillet 1949 sur les publications destinées à la jeunesse).

Achevé d'imprimer en février 2014, en France par Pollina - L67605.

SOMMAIRE

LA PRÉHISTOIRE

– 2 millions d'années
Premières traces de présence humaine sur le territoire de la France actuelle.

Vers – 600 000
Premières traces de foyers. L'homme maîtrise le feu.

Vers – 450 000
L'homme de Tautavel.

– 400 000 à – 125 000
Grandes glaciations. L'homme de Neandertal s'installe en Europe.

Vers – 40 000
Premières sépultures. L'homme enterre ses morts.

- 35 000
Apparition de l'homme de type moderne
(Homo Sapiens sapiens, ou Cro-Magnon).

Vers – 30 000
Inventions du harpon et du propulseur.

Vers – 18 000
Peintures de la grotte de Lascaux.

Vers – 9 000
Réchauffement du climat. Naissance de l'élevage et de l'agriculture.

Vers – 3 500
Mégalithes de Stonehenge et de Carnac.

Les jumeaux, vous serez gentils avec votre grand-père !
VILLEVIEILLE LA NEUVE
50

Et patients, même s'il vous raconte des histoires...
... un peu longues !

Ne vous inquiétez pas.
On a un programme pour ces vacances.

On va se faire une cabane au fond du jardin !

Dans le grand chêne ? J'en ai fait une aussi quand j'étais petit.

Oui, on sait ! Du temps de la télé en noir et blanc, avant les téléphones portables...
et les jeux vidéo !

!!!!!

J'ai oublié ma console !
Et moi mon chargeur !

Euh... On préfère que tu nous racontes tes histoires.

Tu as peur de l'orage, toi?
Euh, non... mais...

On sera mieux à la maison.

Vous avez bien fait... Il vaut mieux rentrer à la grotte quand il fait ce temps...

pour admirer la fureur des cieux bien à l'abri.

C'est sans doute la foudre qui, aux temps préhistoriques...

... A ALLUMÉ LE FEU QUE LES HOMMES ONT APPRIVOISÉ.

IL Y A 500 000 ANS, ON S'EN DOUTE, IL N'Y AVAIT PAS D'ALLUMETTES.
Comment faisaient-ils?
Raconte!
Probablement en roulant une baguette de bois entre leurs mains, sur une planchette qui s'échauffait sur un lit d'herbe sèche!

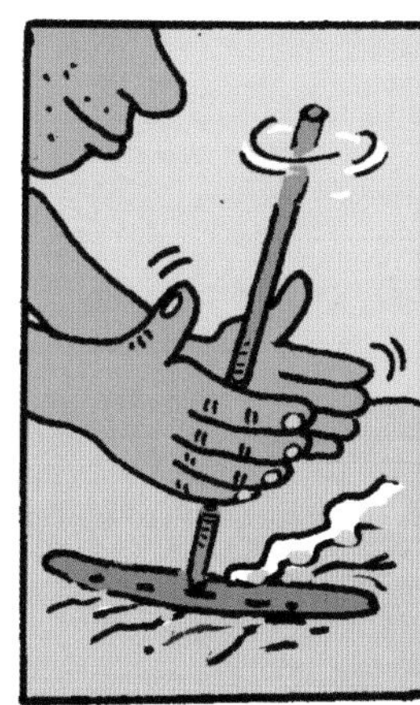

GRÂCE AU FEU,
LES HOMMES PEUVENT
FABRIQUER DES ARMES
PLUS EFFICACES...

... UNE POINTE D'ÉPIEU PASSÉE
AU FEU EST PLUS DURE.

ILS PEUVENT AUSSI SE PROTÉGER
DES BÊTES FÉROCES...

S'AVENTURER AU PLUS PROFOND
DES GROTTES...

... ET SE RÉUNIR AUTOUR D'UN FOYER POUR SE RÉCHAUFFER ET MANGER DE LA VIANDE CUITE
SUR LES BRAISES. AINSI, LA VIE EN
SOCIÉTÉ COMMENCE À S'ORGANISER.

En France aussi, on savait faire du feu?
On commençait, mais pas partout.
À Terra Amata, près de Nice, on a découvert les restes d'un foyer, mais aucun ossement humain.
ATLANTIQUE
MÉDITERRANÉE

Au pied des Pyrénées, à la même époque, on a retrouvé des restes humains de celui qu'on appelle...
L'homme de TAUTAVEL?
OUI! LE PLUS ANCIEN DES FRANÇAIS. NI LUI NI SES COMPAGNONS N'UTILISENT LE FEU.

MAIS ILS ARRIVENT À SURVIVRE! EN SE DÉPLAÇANT À LA POURSUITE DE TROUPEAUX.

CE SONT DES NOMADES ET D'EXCELLENTS CHASSEURS!

ILS RAMASSENT DES GALETS DANS LES RIVIÈRES ET DU SILEX QU'ILS TAILLENT GROSSIÈREMENT POUR OBTENIR DES BIFACES AUX BORDS TRANCHANTS.

EN ÉTUDIANT LES RESTES DE CRÂNES, ON PENSE QU'ILS PARLENT. GRÂCE À LA PAROLE, ILS COMMUNIQUENT ENTRE EUX. LA VIE EN GROUPE EST PLUS RICHE.

* *Le nom scientifique de l'homme de Cro-Magnon est Homo sapiens sapiens : « l'homme qui sait qu'il sait ».*

... OU PASSER D'ASIE EN AMÉRIQUE.

Comment est-il allé en Australie ?

EN RADEAU OU EN PIROGUE.

POUR S'ABRITER, SELON LA RÉGION OÙ IL SE TROUVE, SOIT À L'ENTRÉE D'UNE GROTTE...

... SOIT SOUS UNE TENTE RECOUVERTE DE PEAUX, DE BRANCHES OU DE TERRE...

... SOIT SOUS UNE TENTE RONDE, SOUTENUE PAR DES DÉFENSES DE MAMMOUTH.

POUR SE NOURRIR, LES HOMMES FONT LEUR MARCHÉ DANS LA NATURE. DES FRUITS, DU POISSON...

... ET SURTOUT DE LA VIANDE DE GIBIER. ILS ORGANISENT DES BATTUES.

LE MAMMOUTH EST UNE PROIE DIFFICILE ET DANGEREUSE.

ON LE DIRIGE VERS UN MARÉCAGE OÙ IL S'ENLISE ET D'OÙ IL NE PEUT S'EXTRAIRE. LES CHASSEURS PEUVENT ALORS L'APPROCHER ET LE TUER.

ILS SONT ARMÉS DE SAGAIES, UNE LANCE TERMINÉE PAR UNE POINTE DE SILEX.

ILS ONT INVENTÉ LE PROPULSEUR...

... QUI DOUBLE LA DISTANCE DE LANCER.

LE GIBIER TUÉ EST ATTACHÉ SUR UN SUPPORT POUR ÊTRE DÉPECÉ.

AVANT DE SERVIR DE VÊTEMENTS, LES PEAUX SONT GRATTÉES, SÉCHÉES, TANNÉES ET FUMÉES.

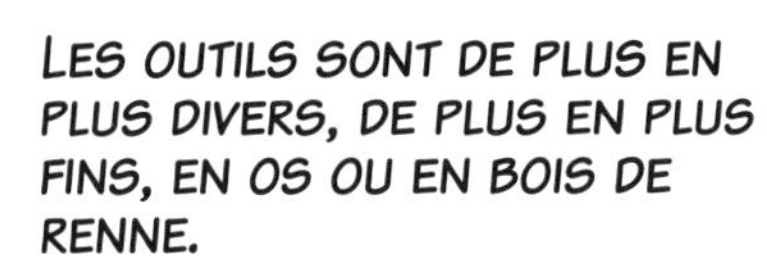
LES OUTILS SONT DE PLUS EN PLUS DIVERS, DE PLUS EN PLUS FINS, EN OS OU EN BOIS DE RENNE.

LE MATÉRIAU À TOUT FAIRE, C'EST LE SILEX. CETTE PIERRE EST AUSSI DURE QUE L'ACIER.

BIEN TAILLÉE, ELLE PEUT DONNER...

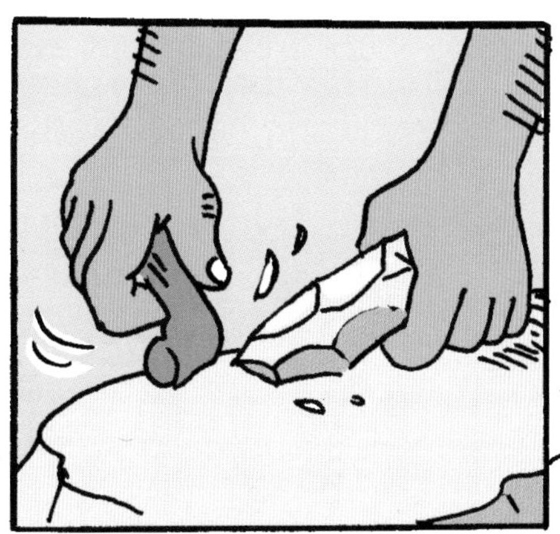

... DES LAMES COUPANTES COMME DU VERRE.

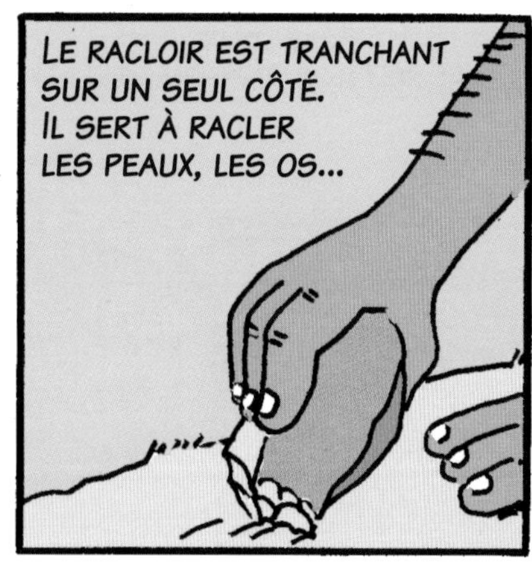
LE RACLOIR EST TRANCHANT SUR UN SEUL CÔTÉ. IL SERT À RACLER LES PEAUX, LES OS...

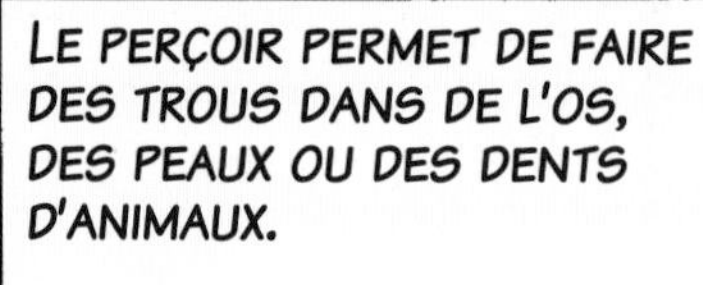
LE PERÇOIR PERMET DE FAIRE DES TROUS DANS DE L'OS, DES PEAUX OU DES DENTS D'ANIMAUX.

IL Y A AUSSI DES OUTILS EN OS, COMME LE POINÇON QUI TROUE LES PEAUX...

... ET SURTOUT L'AIGUILLE À CHAS QUI PERMET DE COUDRE DES PEAUX.

ET DE FAIRE DES VÊTEMENTS AJUSTÉS COMME DES ANORAKS.

Ils avaient du fil ?

BIEN SÛR: DU FIL EN TENDON DE RENNE.

AVEC DES MORCEAUX D'OS, DES COQUILLAGES, DES RONDELLES D'IVOIRE, LES HOMMES FABRIQUENT DES BIJOUX,

PORTÉS EN COLLIERS, BRACELETS OU COUSUS AUX VÊTEMENTS.

Comment sait.on ça?
Tu en as vu?
Pas moi.

MAIS ON A RETROUVÉ DES TOMBES, CAR ILS ENTERRENT LEURS MORTS SELON DES PRATIQUES QUI NOUS ÉCHAPPENT.

Ils cuisaient leur viande directement sur le feu ?
Comme au barbecue ?

PAS SEULEMENT ! CERTES, AU MENU, IL Y AVAIT DE LA GRILLADE DE RENNE, DU STEAK CUIT SUR DES PIERRES PLATES POSÉES SUR LE FEU.

MAIS IL Y AVAIT AUSSI LE SAUMON À L'ÉTOUFFÉE, ENVELOPPÉ DANS DES FEUILLES ET CUIT SOUS LA CENDRE.

ET, BIEN SÛR, LE RAGOÛT DE MAMMOUTH QUI MIJOTE DES HEURES DANS UNE OUTRE OÙ L'EAU EST CHAUFFÉE PAR DES GALETS BRÛLANTS.

DES OS ÉCRASÉS, DES RACINES ET DES BAIES DONNENT DU GOÛT AU BOUILLON.
TOUTE LA TRIBU SE RASSEMBLE POUR PARTAGER LE REPAS EN ÉCOUTANT LES RÉCITS DES CHASSEURS. MÊME LE CHIEN ! IL EST DEVENU L'AMI DE L'HOMME.

L'homme de Cro-Magnon est aussi un grand artiste!
CAUX

D'ABORD, VERS – 30 000 ANS, IL DÉCORE SES ARMES ET SES OUTILS EN LES GRAVANT ET LES SCULPTANT.

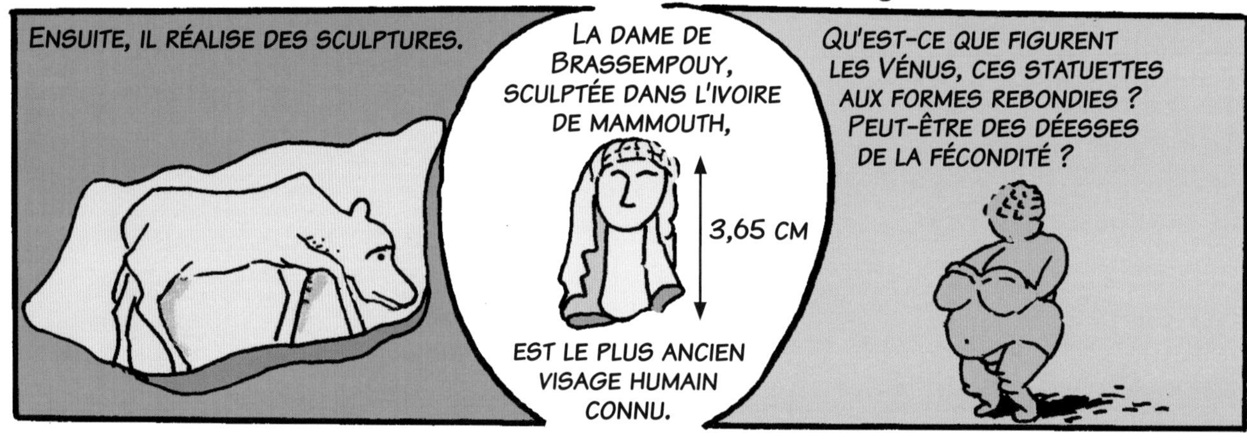
ENSUITE, IL RÉALISE DES SCULPTURES.
LA DAME DE BRASSEMPOUY, SCULPTÉE DANS L'IVOIRE DE MAMMOUTH,
3,65 CM
EST LE PLUS ANCIEN VISAGE HUMAIN CONNU.
QU'EST-CE QUE FIGURENT LES VÉNUS, CES STATUETTES AUX FORMES REBONDIES ? PEUT-ÊTRE DES DÉESSES DE LA FÉCONDITÉ ?

ENTRE – 30 000 ET – 9 000 ANS, L'HOMME DE CRO-MAGNON...

... S'AVENTURE DANS LES GROTTES...

... POUR GRAVER, SCULPTER ET PEINDRE LEURS PAROIS. EN EUROPE, ON COMPTE PLUS DE 200 GROTTES ORNÉES. LA PLUPART SE TROUVENT DANS LE SUD DE LA FRANCE OU EN ESPAGNE, COMME LASCAUX OU LA COMBE-D'ARC.

C'était de la peinture à l'eau?
Ou à l'huile?

ON PRÉPARE LES PEINTURES AVEC DES COLORANTS BROYÉS, MÉLANGÉS ET MALAXÉS AVEC DE L'EAU OU DE LA GRAISSE.

L'OCRE DE LASCAUX EST UNE ARGILE FERRUGINEUSE, LE NOIR, DU CHARBON.

ILS PEIGNENT SURTOUT DES ANIMAUX...
... MAIS AUSSI DES FIGURES GÉOMÉTRIQUES.

VERS – 7000 ans, LE CLIMAT SE RÉCHAUFFE. LES GLACIERS RECULENT. LA FORÊT S'ÉTEND. LES GRANDS TROUPEAUX DEVIENNENT PLUS RARES. LES HOMMES DOIVENT CHANGER DE MODE DE VIE.
?

COMMENT SE NOURRIR ? EN DOMESTIQUANT DES ANIMAUX SAUVAGES ET EN CULTIVANT LA TERRE.

CE BOULEVERSEMENT SURVIENT AU MOYEN-ORIENT ET GAGNE PEU À PEU L'EUROPE. MAIS LA CHASSE, LA PÊCHE ET LA CUEILLETTE SONT TOUJOURS PRATIQUÉES.

AVEC L'ÉLEVAGE DES BŒUFS, PORCS, MOUTONS ET CHÈVRES, LES HOMMES PEUVENT DISPOSER DE RÉSERVES. ENSUITE, ILS APPRENNENT À LES TRAIRE, À LES TONDRE ET À LES UTILISER POUR TRANSPORTER DE LOURDES CHARGES.

DU MOYEN-ORIENT ARRIVENT EN EUROPE LES PREMIÈRES SEMENCES DE CÉRÉALES.
DE NOUVEAUX OUTILS APPARAISSENT. L'ARAIRE, UNE SORTE DE CHARRUE EN BOIS, ET LA HACHE EN PIERRE.
LE SILEX DEVIENT RARE. IL FAUT CREUSER DES MINES POUR L'EXTRAIRE, OU L'ÉCHANGER CONTRE D'AUTRES PRODUITS : C'EST LE DÉBUT DU COMMERCE !

Pour rester près de leurs cultures et garder leurs animaux, les hommes s'installent dans des villages et deviennent sédentaires. Une révolution !
ILS CONSTRUISENT DE LONGUES MAISONS RECTANGULAIRES QUI ABRITENT PLUSIEURS FAMILLES. LES MURS EN TERRE ET EN BOIS PORTENT UN TOIT DE CHAUME.

POUR TRANSPORTER L'EAU, CUIRE LES ALIMENTS, LES VILLAGEOIS FABRIQUENT DES RÉCIPIENTS AVEC DE L'ARGILE CUITE DANS DES FOURS. LA POTERIE EST NÉE.

ILS TISSENT LE LIN, LE CHANVRE ET LA LAINE.

LES DENTS, LES COQUILLAGES, LES OS FONT DE JOLIS BIJOUX.

LE CUIVRE, LE BRONZE (UN ALLIAGE DE CUIVRE ET D'ÉTAIN) ET LE FER SONT DES MÉTAUX. FONDUS DANS DES MOULES, ILS SONT MARTELÉS ET POLIS.

AVEC LEURS ARMES, CERTAINS PARTENT À LA CONQUÊTE DE NOUVELLES TERRES À CULTIVER ET À CONTRÔLER. LA SOCIÉTÉ SE TRANSFORME.

Il y avait des églises dans ces villages?
Des cimetières?
Non.

Mais dans toute l'Europe occidentale, les premiers paysans dressent d'énormes monuments de pierre : les mégalithes.

Il s'agit de dolmens. Plusieurs pierres disposées en forme de tables géantes servent de tombes collectives.
Implantés sur une hauteur ou un endroit dégagé, ils se voient de loin.
Qui sont les hommes inhumés là ? On l'ignore.
Les menhirs sont des pierres dressées, isolées ou groupées.

Des menhirs? Comme ceux que porte Obélix?
Attention! Nous sommes en -3500 av. J.-C.

Ces menhirs sont parfois disposés en cercle, comme à Stonehenge, en Grande-Bretagne...

... ou bien alignés comme à Carnac, en Bretagne, où subsistent 2934 menhirs alignés sur 4 kilomètres. Leur signification reste mystérieuse. Mais il semble qu'ils soient associés à des phénomènes astronomiques.

LES GROS BLOCS DE PIERRE SONT DÉBITÉS DANS LA CARRIÈRE À L'AIDE DE COINS EN BOIS GORGÉS D'EAU.

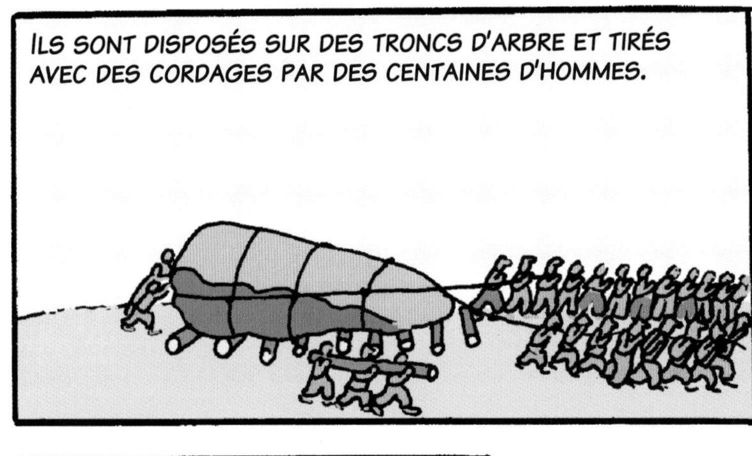
ILS SONT DISPOSÉS SUR DES TRONCS D'ARBRE ET TIRÉS AVEC DES CORDAGES PAR DES CENTAINES D'HOMMES.

SUR LE SITE, CES BLOCS SONT HISSÉS SUR DES ÉCHAFAUDAGES EN BOIS ET BASCULÉS PAR DES HOMMES QUI LES TIRENT AVEC LEURS CORDAGES.

D'AUTRES HOMMES SUR LE CHANTIER EXTRAIENT DE LA TERRE OU DE LA PIERRAILLE.

D'AUTRES TRESSENT DES FIBRES VÉGÉTALES POUR FAIRE DES CORDES.

PARFOIS, D'AUTRES DÉCORENT DE MOTIFS LES PAROIS INTERNES DU MONUMENT.

CES MONUMENTS SONT LE TÉMOIGNAGE D'UNE SOCIÉTÉ BIEN ORGANISÉE. ELLE EST ENCADRÉE PAR DES CHEFS DOTÉS D'UNE FORTE AUTORITÉ, CAPABLES DE COORDONNER DE TELS TRAVAUX ET DE DIRIGER UNE MAIN-D'ŒUVRE ABONDANTE.

LA GAULE CELTIQUE

Vers -800
Grandes migrations des tribus celtes, qui s'établissent à l'ouest du Rhin.

Vers -600
Fondation de Massalia (Marseille) par des colons grecs, les Phocéens.

Vers -200
Arvernes et Éduens se disputent la suprématie en Gaule centrale.

-125
Les Romains colonisent le sud de la Gaule.
Naissance de la Provincia avec Narbonne pour capitale.

-58
À la tête des légions romaines,
Jules César entame la conquête de la Gaule.

-52
Vercingétorix rassemble les Gaulois dans une révolte contre Rome.
Sièges de Gergovie et d'Alésia.

-50
La guerre des Gaules est terminée.

◀ HAUT DE 1,64 M, D'UN POIDS DE 208 KG, LE VASE DÉCOUVERT À VIX, EN BOURGOGNE, DATE DU VI[E] SIÈCLE AV. J.-C.

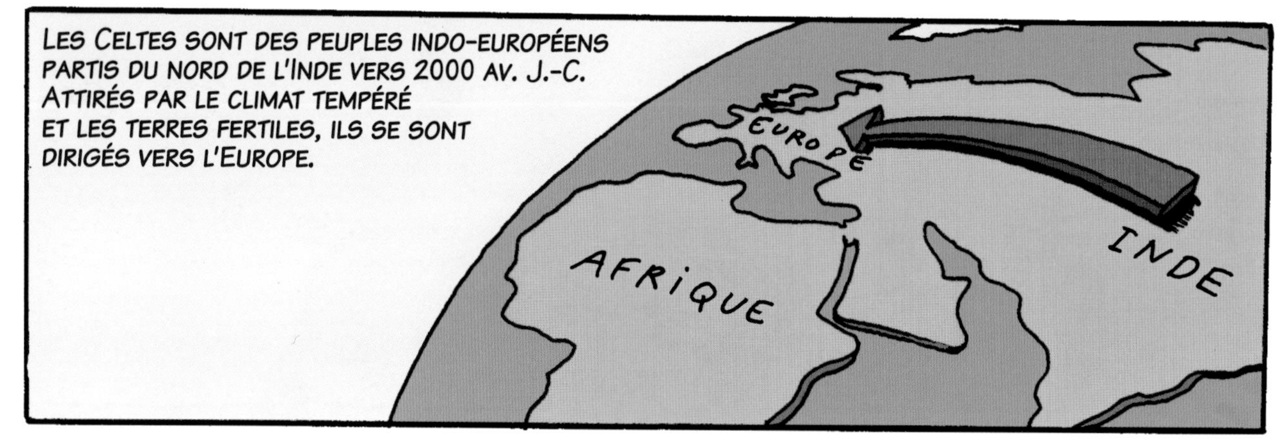

De là, à partir de 900 av. J.-C.,
des vagues de cavaliers celtes déferlent
sur l'ouest de l'Europe.

Au centre de la Gaule, les peuples les plus puissants cherchent à dominer les autres.

CARNUTES
SÉNONS
BITURIGES
ÉDUÉENS
ARVERNES

Comme chez les Égyptiens, les Grecs ou les Romains de la même époque, il existe des esclaves chez les Celtes de Gaule.

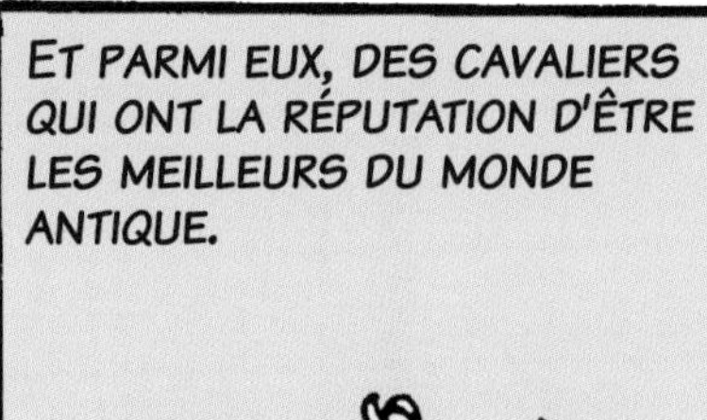

Aux sources de la Seine, plus de 2000 objets en bois ont été retrouvés.
Ils représentent des divinités comme la déesse Sequana ou une partie du corps à guérir.
Les Celtes pratiquent surtout leur religion dans la nature.

LES CELTES CROIENT EN L'IMMORTALITÉ DE L'ÂME. D'OÙ L'IMPORTANCE DU GUI.

CETTE PLANTE FLEURIT EN HIVER SUR LES ARBRES DÉPOUILLÉS, PROUVANT QUE LA VIE DEMEURE MÊME QUAND ELLE SEMBLE AVOIR DISPARU.

QUAND LE GUI POUSSE SUR UN CHÊNE ROUVRE, CE QUI EST RARE, IL EST CONSIDÉRÉ COMME SACRÉ. IL EST CUEILLI LE SIXIÈME JOUR DE LA LUNE PAR UN DRUIDE.

DEUX AIDES LE RECUEILLENT DANS UN LINGE IMMACULÉ.

COMME L'ATTESTE LE TOMBEAU DÉCOUVERT EN 1953 À VIX, EN BOURGOGNE...
... LES CELTES ENTERRENT LEURS MORTS AVEC DES OBJETS PRÉCIEUX OU CE QUI LEUR SERA UTILE DANS L'AU-DELÀ : COLLIERS, BRACELETS, MAIS AUSSI DES CRUCHES, DES COUPES ET MÊME PARFOIS LE CHAR FUNÉRAIRE DONT LES ROUES SONT DÉMONTÉES ET POSÉES DANS LE TOMBEAU.

PENDANT QUE LES CELTES VIVENT EN GAULE, D'AUTRES PEUPLES S'Y INSTALLENT, COMME LES GRECS.
VERS 600 AV. J.-C., DE NOMBREUX GRECS À LA RECHERCHE DE TERRES FERTILES PARTENT À TRAVERS LA MÉDITERRANÉE POUR FONDER DES COLONIES.
CERTAINS (LES PHOCÉENS) ABORDENT LE RIVAGE SUD DE LA GAULE ET FONDENT MASSALIA, LA FUTURE MARSEILLE.
MER MÉDITERRANÉE

SELON LA LÉGENDE, PROTIS, LE COMMANDANT DE LA FLOTTE GRECQUE...

... SE MARIA AVEC GYPTIS, LA FILLE D'UN ROI QUI VIVAIT À L'EMBOUCHURE DU RHÔNE.

LE ROI CELTE DONNA À SON GENDRE UN EMPLACEMENT DANS UN GOLFE ISOLÉ...

... POUR QU'IL FONDE UNE VILLE.

LA LÉGENDE ENJOLIVE LA RÉALITÉ. MAIS LES FOUILLES MENÉES DEPUIS 1967 ATTESTENT L'INSTALLATION DES GRECS, LA CONSTRUCTION D'UN PORT ET LA FONDATION D'UNE VILLE QUI DEVINT PROSPÈRE.

PLUS TARD, LES GRECS S'INSTALLENT À NICE, ANTIBES, AGDE ET ARLES...

... OÙ SONT CRÉÉS DES COMPTOIRS POUR L'ORGANISATION DE LEUR COMMERCE.

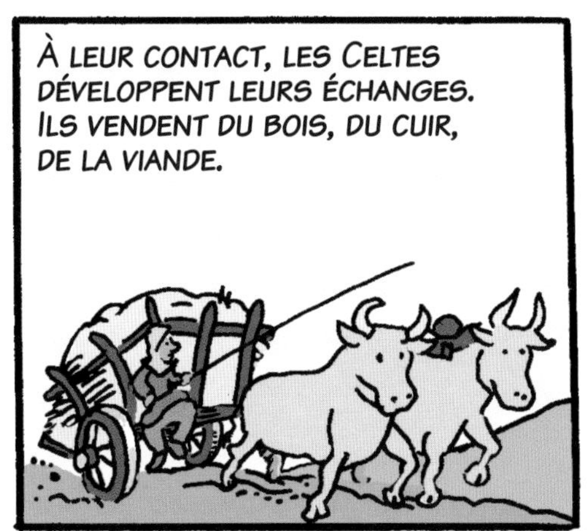
À LEUR CONTACT, LES CELTES DÉVELOPPENT LEURS ÉCHANGES. ILS VENDENT DU BOIS, DU CUIR, DE LA VIANDE.

ILS ACHÈTENT DES VASES, DU VIN...
Mmh !
C'est bon !

ET DE L'HUILE D'OLIVE QU'ILS COMMENCENT À PRODUIRE.
Si on en faisait aussi ?

ILS DÉCOUVRENT L'USAGE DE LA MONNAIE.
?

MAIS LES CELTES MENACENT PARFOIS LES GRECS. CEUX-CI APPELLENT AU SECOURS LEURS ALLIÉS ROMAINS.

... et le blé. Mais les Romains ne font pas encore de pizza à cette époque.

FARIN

Un canal reliant le Rhône à la mer est creusé.

Ainsi, la région conquise par les Romains devient une province romaine (en latin « Provincia romania », d'où le nom de Provence).
Provincial!
Non. Provençal.
La Provincia englobe un vaste territoire entre Toulouse, la Méditerranée et le lac Léman. Sa capitale est Narbonne. Elle porte le nom de « Gaule narbonnaise ».

Cette province permet aux Romains de contrôler la route reliant l'Italie à l'Espagne, où ils possèdent des territoires.

Elle offre surtout une excellente base de départ pour conquérir, au nord, la riche Gaule celtique.

Au Ier siècle av. J.-C., les marchands méditerranéens sillonnent la Gaule.
Tous disent que ce pays est sauvage, couvert de forêts,
mais tellement riche !

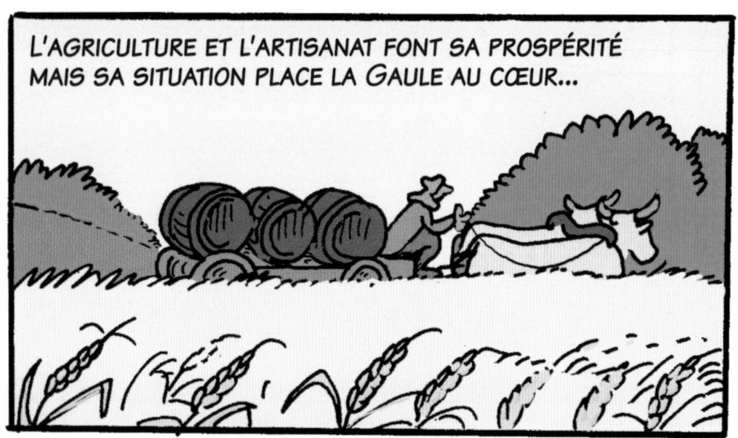
L'agriculture et l'artisanat font sa prospérité
mais sa situation place la Gaule au cœur...

... des grands échanges
commerciaux.

C'est en Gaule que passe la route de l'étain, ce minerai nécessaire pour la fabrication du bronze. Extrait des mines de Grande-Bretagne, il est acheminé jusqu'à la Saône et le Rhône pour prendre la mer à Marseille.

Des marchandises produites en Gaule, comme les peaux, le miel, le bois et les céréales,
sont vendues aux pays méditerranéens.

Des villes comme Lutèce (Paris), Orléans, Mâcon, Chalon s'enrichissent en prélevant des taxes.

LES PAYSANS GAULOIS CULTIVENT LEURS CHAMPS QU'ILS ONT AGRANDIS EN DÉFRICHANT LES FORÊTS. LA CULTURE REINE, C'EST LE BLÉ. ON LE CULTIVE PARTOUT !

ILS PERFECTIONNENT L'ARAIRE EN LE MUNISSANT D'UNE LAME D'ACIER. MONTÉ SUR DEUX ROUES, IL EST PLUS MANIABLE ET DEVIENT UNE CHARRUE.
Ça va tout seul !

AU PRINTEMPS, POUR FERTILISER LA TERRE, ILS AJOUTENT DU FUMIER.
Quelle odeur !
Oui, mais tu verras la qualité de notre blé !

SI LA TERRE EST TROP HUMIDE, ILS Y MÊLENT DE LA CHAUX. ILS CONNAISSENT L'ENGRAIS.

FAUX ET FAUCILLES PERMETTENT DE MOISSONNER LE BLÉ...

... MAIS DANS LE NORD-EST, UN MOYEN PERFECTIONNÉ EST INVENTÉ : UNE CAISSE À DEUX ROUES POUSSÉE PAR UN BŒUF OU UN ÂNE, MUNIE DE DENTS COUPANT OU RAMASSANT LES ÉPIS. L'ANCÊTRE DE LA MOISSONNEUSE !

AVEC D'AUTRES CÉRÉALES COMME L'ÉPEAUTRE OU L'ORGE, ILS FABRIQUENT LA CERVOISE, UNE SORTE DE BIÈRE AMÈRE, LA BOISSON PRÉFÉRÉE DES GAULOIS... QUI LEUR ÉCHAUFFE PARFOIS L'ESPRIT !

ILS FONT POUSSER DES LÉGUMES : PETITS POIS, LENTILLES, CHOUX, NAVETS ET MÊME DES ASPERGES !

ILS SONT EXCELLENTS ÉLEVEURS : CHEVAUX, BOVINS ET D'IMMENSES TROUPEAUX DE PORCS À LONGS POILS.

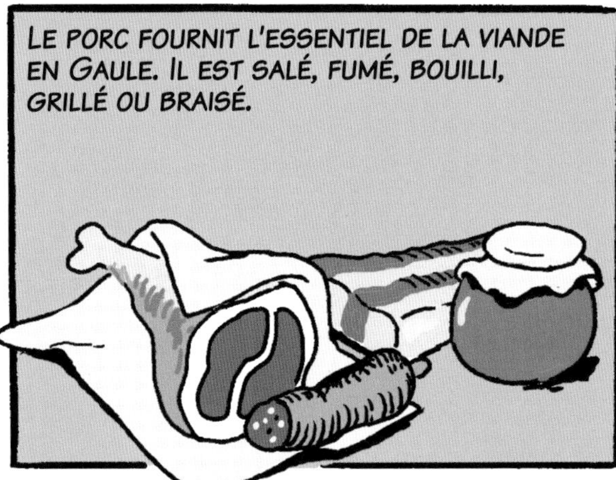
LE PORC FOURNIT L'ESSENTIEL DE LA VIANDE EN GAULE. IL EST SALÉ, FUMÉ, BOUILLI, GRILLÉ OU BRAISÉ.

LES RILLETTES ET LES JAMBONS SONT VENDUS JUSQU'À ROME.
Mon charcutier gaulois !

Arrête, on a trop faim !

C'est vrai ! On va manger un bout de saucisson avant la cuisine romaine.

Ah! enfin, voici l'oppidum.
L'OPPIDUM (MOT LATIN QUI SIGNIFIE PLACE FORTE) EST UN BOURG FORTIFIÉ. IL SERT DE REFUGE À LA POPULATION ENVIRONNANTE EN CAS DE DANGER ET PERMET AUX COMMERÇANTS ET AUX ARTISANS DE TRAVAILLER EN PAIX.
Tiens, ils réparent le murus gallicus.
Le quoi?

Le murus gallicus, c'est comme ça que les Romains appellent cette fortification faite de poutres entrecroisées...
Ça ne voudrait pas dire «Mur Gaulois» tout simplement?

Je vais chez Lugern le tonnelier.
Et moi chez Bellatos, pour une lame de faux.

Il est beau, mon jambon!
Un peu de miel?
Romain, tu me fais goûter ton vin?
Avec mes galoches, on galope!
Joli motif, ce tissu.
Beaux vases...
Ça ne vaut pas le tonneau.
Je pense bien: c'est Darnetal qui l'a tissé.
Et tu voudrais me faire croire que cette carne n'a que deux ans?

Salut, Lugern! Ouf, dis-moi, quelle fumée!
Normal.
C'est mon fils qui courbe les douves à la vapeur.
Si tu veux boire une cervoise, repasse plus tard: je dois fendre ces tiges de châtaignier pour en faire des cerceaux.

Ah, on reconnaît de loin la forge!
BLING
BLANG

Bonjour, Bellatos, je viens voir si tu aurais une lame de faux.
Avec les moissons, j'ai beaucoup à faire: faux, faucilles, et cercler les roues des charrettes...

Mais je te ferai ça dans la journée. Reviens ce soir!
Et mon épée tu y penses?

En attendant, je vais passer chez Darnetal le tisserand...

... pour ramener à ma belle une pièce de tissu.

Elle va pouvoir se faire une robe magnifique! Une simple fibule suffira à la fermer.

Une fibule bien sûr! Allons voir Samnos le bijoutier.
Une fibule? Une simple épingle. Tu es bien chiche avec ta femme. Vois plutôt ce torque que je viens de ciseler.

EN 58 AV. J.-C., JULES CÉSAR, HOMME POLITIQUE AMBITIEUX, GRAND CHEF DE GUERRE, EST DEPUIS UN AN GOUVERNEUR DE LA GAULE NARBONNAISE.
Conquérir la Gaule renforcerait mon pouvoir à Rome...

LES GAULOIS EUX-MÊMES FOURNISSENT LE PRÉTEXTE.
Nous, les Éduéens, implorons ton aide pour repousser les envahisseurs!

Au nord, les Germains nous menacent. À l'est, ce sont les Helvètes...
Je vais lever une armée contre ces fauteurs de troubles!

CÉSAR PÉNÈTRE EN GAULE À LA TÊTE DE 40 000 SOLDATS PROFESSIONNELS : DES LÉGIONNAIRES, DIRIGÉS PAR DES CENTURIONS COMMANDANT CHACUN CENT HOMMES.

JUSQU'EN – 53, L'ARMÉE ROMAINE VA DE VICTOIRE EN VICTOIRE.
Nous avons repoussé les Germains, battu les troupes belges, détruit la flotte des Vénètes, soumis l'Aquitaine!
La Gaule est sous contrôle.
À présent je dois aller à Rome.
Je reviendrai bientôt pacifier ce pays.

*Cenabum et Avaricum: aujourd'hui Orléans et Bourges.

À BIBRACTE, CAPITALE DES ÉDUENS, LES CHEFS GAULOIS SE RÉUNISSENT. À L'UNANIMITÉ, ILS ACCLAMENT VERCINGÉTORIX COMME CHEF SUPRÊME DES PEUPLES GAULOIS.
Nous te choisissons comme notre chef unique !
Je vous mènerai jusqu'à la victoire !

Encore la cavalerie gauloise !
C'est du harcèlement !
MAIS LES ROMAINS RÉPLIQUENT ET LE CHEF GAULOIS SE RETIRE À ALÉSIA, EN BOURGOGNE, EN SEPTEMBRE DE L'AN – 52.
Cet oppidum est imprenable.

Nous n'avons qu'un mois de vivres...
Vous les cavaliers, vous allez partir dès cette nuit...
Bien, Vercingétorix.

Et quand vous reviendrez avec des renforts, nous prendrons les Romains en tenaille !

Voilà les Romains.
Bizarre, ils n'attaquent pas.
Ce sont des terrassiers !

Par Toutatis, en deux mois, ils ont construit cette double fortification...
Avec ces pieux, ces fossés et autres pièges, les renforts vont avoir du mal à..
Les voilà! Voilà nos cavaliers!
Ave César. Les renforts gaulois sont là : 250 000 fantassins et 80 000 cavaliers!
Nous allons bien voir.
Nos remparts sont infranchissables.
Regardez : les Gaulois chassent les bouches inutiles de l'oppidum.
Elles vont périr entre les lignes!
Je vais me rendre.
Nous irons avec toi, Vercingétorix.
Je suis brave, mais tu l'es encore plus et tu m'as vaincu!

LE BILAN DE LA GUERRE EST LOURD : CÔTÉ GAULOIS, 500 000 MORTS ET 500 000 PRISONNIERS EMMENÉS EN ESCLAVAGE ET UN TRIBUT CONSIDÉRABLE À PAYER.

Et toi, Vercingétorix, on te sortira de là pour le triomphe de César !
CÉSAR POURSUIT SES CONQUÊTES EN AFRIQUE DU NORD ET EN TURQUIE.
Ma gloire à Rome est immense.

EN 46 AV. J.-C., IL CÉLÈBRE SON TRIOMPHE DANS LES RUES DE ROME PENDANT QUARANTE JOURS DE FÊTE. VERCINGÉTORIX EST MIS À MORT.
Quel butin !
Et là-bas, ça ne serait pas Vercingétorix ?
À mort !
Comment sait-on tout cela ?
Par Jules César lui-même : il a écrit un livre, en prenant soin de mettre en valeur ses victoires !
LA GUERRE DES GAULES

ET PUIS, IL Y A TOUT CE QUE L'ON A RETROUVÉ AU COURS DES FOUILLES.
PENDANT LONGTEMPS, ON S'EST DEMANDÉ OÙ ÉTAIT EXACTEMENT ALÉSIA.
C'est chez nous !
Non ! chez nous !
Grâce aux photos aériennes, maintenant on en est sûr, c'est à Alise-Sainte-Reine, en Bourgogne.
LÀ, ON A RETROUVÉ DANS LE SOL DES ARMES, DES CASQUES, DES BOUTS DE LANCES OU DE BOUCLIERS.
Et des pièces de monnaie gauloises !
C'est bien ici !
Après la défaite d'Alésia, la Gaule est conquise mais elle n'est pas pacifiée pour autant.
Oui ! Il y a le village d'Astérix !
Hum... C'est de la bande dessinée. Mais il est vrai que les peuples gaulois résistent.
À bas l'occupant !
Les Romains à Rome !
TOUR À TOUR, LES FOYERS DE RÉVOLTE SONT ÉTOUFFÉS.
JULES CÉSAR REVIENT EN GAULE EN 49 AV. J.-C. POUR SOUMETTRE MARSEILLE, LA SEULE CITÉ RESTÉE LIBRE. LE PAYS ENTIER EST SOUS LA DOMINATION ROMAINE.
La romanisation peut commencer.

LA GAULE ROMAINE

-43

Les Romains fondent Lugdunum (Lyon), non loin du confluent du Rhône et de la Saône.

-12

Mise en place des Trois Gaules (Aquitaine, Lyonnaise, Belgique). Le Sénat romain administre la Narbonnaise.

Ier siècle

Construction de grands monuments romains en Provence : Pont du Gard, arènes d'Arles et de Nîmes, théâtre d'Orange, etc.

177

Martyre de Blandine, esclave chrétienne mise à mort à Lyon.

233

Les Alamans, peuplade germanique, entrent en Gaule.

313

L'empereur Constantin autorise la religion chrétienne dans l'Empire romain.

406

Par dizaines de milliers les Barbares (Vandales, Wisigoths, Francs, Burgondes...), franchissent le Rhin et s'installent en Gaule.

451

Attila et les Huns sont vaincus aux champs Catalauniques, non loin de Troyes.

UNE FOIS PAR AN, L'ASSEMBLÉE DES REPRÉSENTANTS DES PEUPLES DES TROIS GAULES SE RÉUNIT À LUGDUNUM (LYON), LA NOUVELLE CAPITALE.

Les villes existantes se développent comme Lutèce (future Paris), Bourges, Marseille. D'autres sont fondées : Autun, Bordeaux, Amiens, Reims ou Nîmes...

Des voies reprenant le tracé des routes gauloises sont empierrées.

Ces routes sont jalonnées de bornes milliaires qui indiquent les distances. Elles sont calculées en milles. Un mille vaut 1480 m.
Ouf ! Plus que deux mille avant le relais.
LAISSEZ PASSER !

Ces voies servent surtout aux déplacements des soldats et des messagers de l'empereur. Tous les 15 kilomètres, ils peuvent faire halte dans des relais de poste.
Il était bien pressé, celui-là.
C'était un courrier de l'empereur.
Il a changé de cheval, mais il n'a pas bu tout mon vin. Entrez !

L'usage de la monnaie se généralise.
Ça ne te fait rien d'avoir l'effigie de César dans ta bourse ?
On s'habitue à tout.

Le latin est la langue utilisée dans l'administration et le commerce. Il restera la langue officielle jusqu'en... 1536 !
ROSA, ROSAE et euh... ROSIS ?

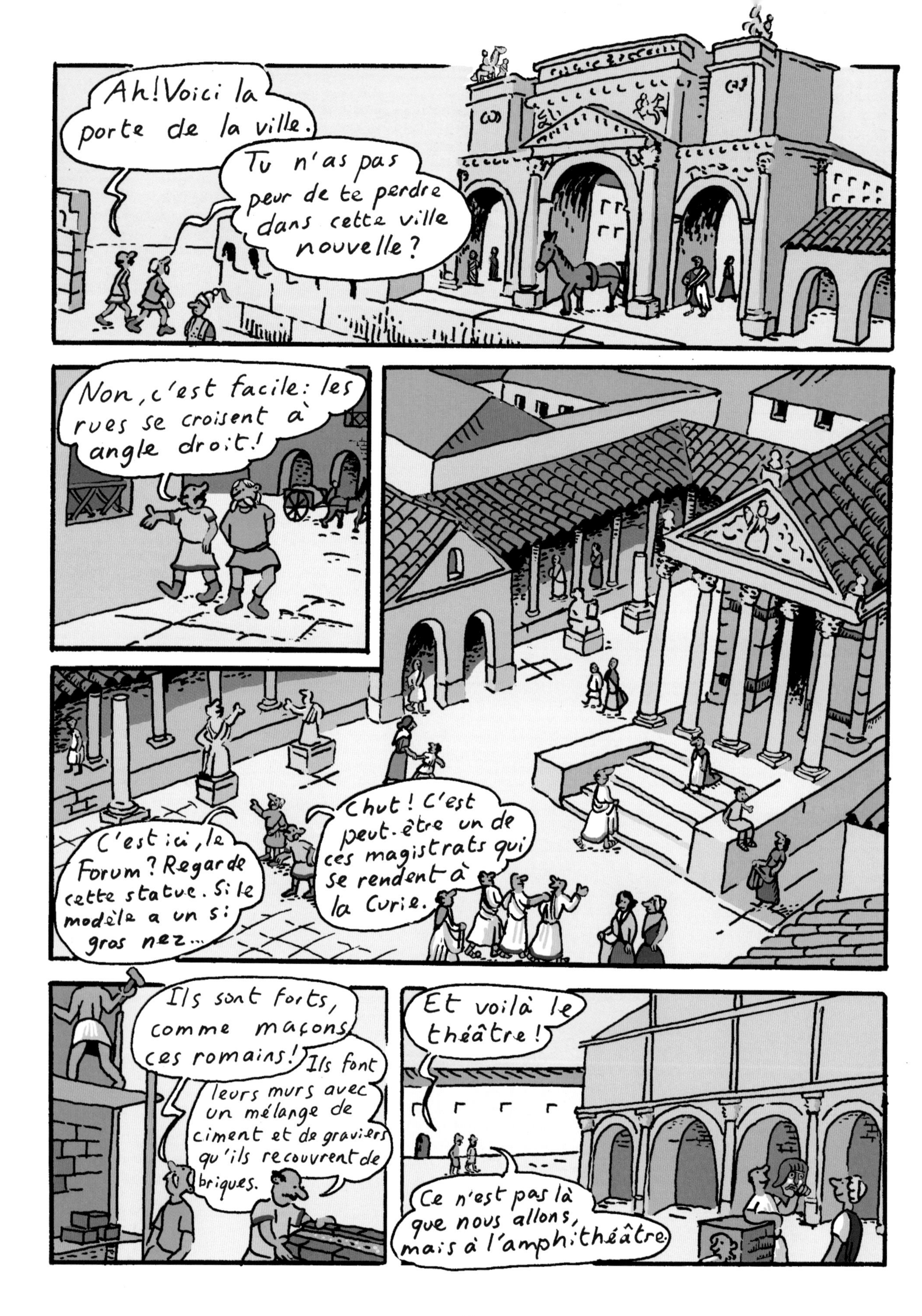
Ah! Voici la porte de la ville.
Tu n'as pas peur de te perdre dans cette ville nouvelle?
Non, c'est facile: les rues se croisent à angle droit!
C'est ici, le Forum? Regarde cette statue. Si le modèle a un si gros nez...
Chut! C'est peut-être un de ces magistrats qui se rendent à la Curie.
Ils sont forts, comme maçons ces romains!
Ils font leurs murs avec un mélange de ciment et de graviers qu'ils recouvrent de briques.
Et voilà le théâtre!
Ce n'est pas là que nous allons, mais à l'amphithéâtre.

Tu es sûr que tu as envie d'assister à ce spectacle cruel des gladiateurs qui se battent jusqu'à la mort ou se font dépecer par des animaux féroces?
Tu as raison: allons plutôt aux thermes!
D'abord, on transpire.
Puis la salle chaude...
N'oublie pas de passer par la tiède...
avant de plonger dans la froide!
Gla gla!
Brr.
Ça fait du bien d'être propre!
Eh!
Attention aux ordures!
Un peu de saucisse?
Volontiers! On sait qu'avec ta balance romaine, tu nous compteras le juste poids!

Dis donc, c'est pas mal, chez ces riches!
C'est pas pour nous.
Ah, chouette, voilà la pizza!

Miam!
Mmh!
Avant de passer à table, allez vous laver les mains.
Elles ne sont pas sales!
Tu crois que les Romains se lavaient les mains?
CERTAINEMENT! DANS LES VILLES GALLO-ROMAINES, L'EAU COULE EN PERMANENCE.

L'EAU CIRCULE DANS LES TOILETTES PUBLIQUES. PEU D'HABITATIONS DISPOSENT DE WC.

IL FAUT BEAUCOUP D'EAU AUSSI POUR LES BAINS PUBLICS.

DANS LES RICHES DEMEURES, LE JARDIN EST RAFRAÎCHI PAR DES FONTAINES ET DES JETS D'EAU. LES SOLS SONT RECOUVERTS DE MOSAÏQUES.

LES ARTISANS TISSERANDS ACHÈTENT UNE CONCESSION POUR AVOIR DE L'EAU DANS LEURS ATELIERS.

Mais comment l'eau arrive-t-elle jusqu'en ville?
Grâce à l'ingéniosité des Romains.

*Nemausus, aujourd'hui Nîmes.

Depuis que les Romains sont là, nos campagnes ont bien changé.
Que fait ce bonhomme au coin du bois?
Je suis arpenteur. Je recense les terres...
pour les répartir et déterminer les impôts.

C'est donc à ça que servent ces bornes!

Oui. Les terres sont divisées en parcelles carrées, limitées par des bornes, des murs, des fossés.

Regarde cette exploitation!
C'est la villa d'Aurelius?

Oui. Il en est le propriétaire exploitant. Lui, il vit et travaille ici.
Le voilà!
Ce n'est pas comme ce Marcus, le riche propriétaire qui habite en ville.

*Bituriges et Allobroges: deux peuples gaulois.

Les Romains imposent en Gaule le culte impérial et construisent des temples en l'honneur de Rome. Des cérémonies s'y tiennent et tous les hommes libres doivent y assister.
Allons, viens, tu vas être en retard !
Je n'ai pas envie d'y aller.
Ça ne serait pas ton druide qui te monte la tête ?

Mon druide ? Ça fait longtemps que les soldats l'ont arrêté !
Normal : il avait une mauvaise influence !

Les Romains interdisent les dieux gaulois ?
On n'a plus le droit de dire « PAR TOUTATIS ! »
Non. Envers les dieux gaulois, les Romains sont assez tolérants...

Mais ce qui inquiète le plus les Romains, c'est le christianisme.

À partir du IIe siècle, cette religion nouvelle se répand en Gaule.

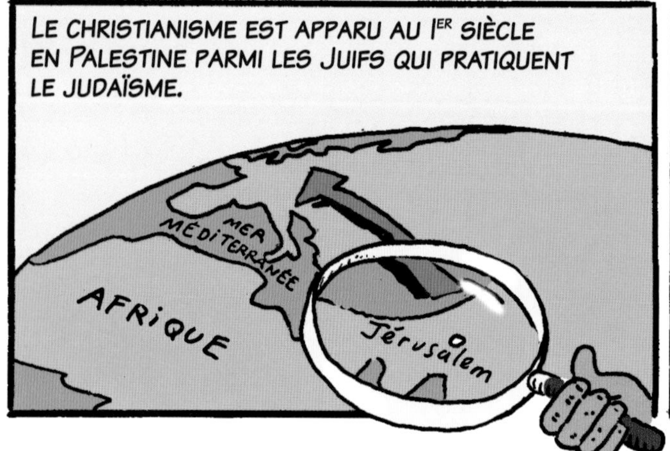
Le christianisme est apparu au Ier siècle en Palestine parmi les Juifs qui pratiquent le judaïsme.
Mer Méditerranée
Afrique
Jérusalem

Certains voient en Jésus-Christ le Messie qu'ils attendent.

PENDANT TROIS ANS, JÉSUS PRÊCHE L'AMOUR DES AUTRES, LE PARDON DES PÉCHÉS ET S'OCCUPE DES PAUVRES. IL SE DIT FILS DE DIEU.

JÉSUS DÉPLAÎT AUX AUTORITÉS JUIVES QUI LE LIVRENT AUX ROMAINS. IL EST CRUCIFIÉ À JÉRUSALEM.

APRÈS SA MISE AU TOMBEAU, SES PROCHES AFFIRMENT QU'IL EST RESSUSCITÉ.

LE MESSAGE DU CHRIST QUI PROCLAME QUE TOUS LES HOMMES ET LES FEMMES SONT ÉGAUX TOUCHE D'ABORD LES PETITES GENS DES VILLES : ARTISANS, MARCHANDS, ESCLAVES.

LES CHRÉTIENS REJETTENT LE CULTE IMPÉRIAL. LES ROMAINS CHERCHENT À LES ÉLIMINER EN LES PERSÉCUTANT : EMPRISONNEMENT ET MISE À MORT.
Nous n'avons qu'un dieu : Jésus-Christ !

LES CHRÉTIENS SE CACHENT POUR PRIER ET LIRE LES ÉVANGILES.
Attention ! Une patrouille !

ENSEMBLE, À L'ABRI DES REGARDS, ILS CÉLÈBRENT LE SOUVENIR DU DERNIER REPAS DE JÉSUS AVANT SA MORT EN PARTAGEANT LE PAIN ET LE VIN. C'EST L'EUCHARISTIE.

À LYON, AU IIE SIÈCLE, VIT UNE IMPORTANTE COMMUNAUTÉ CHRÉTIENNE.
Ces gens refusent le culte impérial !

Leur chef, c'est celui qu'ils appellent l'évêque Pothin. Qu'on l'arrête !

EN 177, POTHIN EST ARRÊTÉ AVEC 47 COMPAGNONS. PARMI EUX, UNE JEUNE ESCLAVE NOMMÉE BLANDINE.
Qui est ton dieu ?
Tu le connaîtras quand tu en seras digne !

LE GROUPE EST EMPRISONNÉ ET TORTURÉ DANS UNE PRISON DE LYON.

L'ÉVÊQUE POTHIN SUCCOMBE SOUS LES COUPS.

AVEC SES COMPAGNONS, BLANDINE EST CONDUITE
DANS L'AMPHITHÉÂTRE DES TROIS GAULES.
ELLE EST LIVRÉE AUX LIONS.
Incroyable !
Les lions se désintéressent d'elle !

APRÈS AVOIR ÉTÉ FLAGELLÉE,
ELLE EST ENROULÉE DANS UN FILET...

... ET ABANDONNÉE À DES TAUREAUX
QUI LA PROJETTENT EN L'AIR.

MAIS BLANDINE EST TOUJOURS VIVANTE !
ELLE EST ACHEVÉE AU GLAIVE.

LES PERSÉCUTÉS SONT APPELÉS DES MARTYRS,
C'EST-À-DIRE DES TÉMOINS.
CE SONT LES PREMIERS SAINTS.

Quels barbares, ces Romains !
Non.

Non ! Tu ne peux pas dire ça. Car les « Barbares », c'est ainsi que les Romains désignent ceux qui vivent hors de l'empire.
Et justement...

*On appelle « limes » le système de fortification établi au long des frontières.

PENDANT CE TEMPS, LE CHRISTIANISME CONTINUE DE PROGRESSER. DES PRÊTRES VENUS DE ROME RÉPANDENT LE MESSAGE CHRÉTIEN.

CERTAINS SONT VICTIMES DE PERSÉCUTIONS, COMME DENIS, L'ÉVÊQUE DE LUTÈCE.

EN 313, CONSTANTIN DÉCIDE DE METTRE FIN AUX PERSÉCUTIONS.
Faites dire aux chrétiens qu'ils peuvent pratiquer leur culte.

SOUS L'IMPULSION D'HILAIRE ET DE MARTIN, DEUX ÉVÊQUES, LE CHRISTIANISME SE RENFORCE ET PÉNÈTRE LES CAMPAGNES.
Mais Martin, c'est un de nos dieux gaulois !
Il n'y a qu'un Dieu : Jésus-Christ.

ON DIT QUE LA CHARITÉ DE MARTIN EST GRANDE : UN JOUR, IL COUPE SON MANTEAU EN DEUX POUR SECOURIR UN PAUVRE.

PLUS TARD, PRÈS DE TOURS, IL FONDE DEUX MONASTÈRES : LES PREMIERS EN GAULE.

APRÈS 394, LE CHRISTIANISME DEVIENT LA RELIGION OFFICIELLE DE L'EMPIRE ROMAIN. PARTOUT, LES ÉVÊQUES FONT CONSTRUIRE DES ÉGLISES.

Pour faciliter la défense de l'Empire, partageons-le en deux !

L'Empire romain d'Orient et l'Empire romain d'Occident.

Mais cette division ne fait que l'affaiblir. En 406, par un froid terrible qui a gelé le fleuve, les Barbares franchissent le Rhin par milliers.

Les soldats romains sont impuissants face à ce déferlement.
Ce sont des tribus entières !

Ces peuples barbares sont des Vandales, des Suèves, des Burgondes, des Alamans et des Alains. Poussés par les Huns, ils se ruent vers l'ouest.
Nous n'avons plus de terres !

On appelle aujourd'hui ce vaste mouvement « les Grandes Migrations ».

Les Suèves et les Vandales dévastent la Gaule et se dirigent vers l'Espagne et l'Afrique.

D'AUTRES PEUPLES S'INSTALLENT EN GAULE.
Repeuplez ces régions, l'empereur vous y autorise.
MAIS C'EST AUSSI SOUVENT PAR LA FORCE QU'ILS S'IMPOSENT.
Au bord du Rhin dominent les Francs. Les Alamans sont en Alsace.
LE RHIN
Sur le Rhône s'installent les Burgondes.
OCÉAN ATLANTIQUE
Dans le sud-ouest, les Alains prennent pied en Aquitaine.
Les Wisigoths s'établissent autour de Toulouse, dans une région donnée par l'empereur.
LE RHÔNE
ESPAGNE
MER MÉDITERRANÉE

QUARANTE ANS PLUS TARD, LES PLUS REDOUTABLES BARBARES MENACENT LA GAULE : LES HUNS. ILS FRANCHISSENT LE RHIN EN 451.

LES HUNS VIENNENT D'ASIE CENTRALE. EN SE DIRIGEANT VERS L'OCCIDENT, ILS ONT DÉCLENCHÉ DEPUIS 375 UN VASTE MOUVEMENT DE PEUPLES D'EST EN OUEST.

LES HUNS ÉLÈVENT DES TROUPEAUX QUI LEUR FOURNISSENT VIANDE, LAIT, CUIR ET LAINE SERVANT À LA FABRICATION DE LEURS TENUES DE CAVALIERS.

Les Huns surpassent tous les autres Barbares grâce à l'habileté de leurs archers...

... et à la rapidité de leurs cavaliers montés sur des petits chevaux robustes.

Ils sèment la ruine et la terreur.
Au secours !
Les Huns !
Les Huns !
Attila est leur seul chef. On le surnomme le « fléau de Dieu ».
Il s'abat sur la Gaule en 451, met à sac plusieurs villes et s'approche de Lutèce.
Là où passera mon cheval, l'herbe ne repoussera plus !

Selon la légende, Geneviève, une riche Gallo-Romaine chrétienne, s'adresse à la population.
Ne cédons pas à la frayeur.
Ne fuyons pas !
Résistons et prions Dieu !

Mais Attila se détourne de Lutèce.
Lutèce est là.
Fonçons plutôt sur l'Aquitaine pour combattre les Wisigoths !

Assiégeons Orléans !
Les Huns !

Lutèce est sauvée.
Je vous l'avais bien dit.
Merci Geneviève !
Tu mériterais d'être sainte !

NON LOIN D'ORLÉANS, LE GÉNÉRAL ROMAIN AETIUS VEILLE.
Je vais repousser Attila.

...grâce à mon armée composée de soldats romains et de Barbares de Gaule !

LE 20 JUIN 451 A LIEU UNE TERRIBLE BATAILLE SUR LES PLAINES PRÈS DE TROYES, LES « CHAMPS CATALAUNIQUES » OÙ DES MILLIERS DE COMBATTANTS S'AFFRONTENT.

SURPRIS, ATTILA DOIT RECULER.
Replions-nous !

LA GAULE EST DÉBARRASSÉE DES HUNS ! LES CHEFS FRANCS, BURGONDES ET WISIGOTHS SONT LES MAÎTRES DE LA GAULE. LES GALLO-ROMAINS DOIVENT VIVRE AVEC EUX...

Petit à petit, ces peuples barbares se romanisent et se christianisent. L'Antiquité se termine. Le Moyen Âge commence.

Le Moyen Âge, avec les châteaux forts ?
Les chevaliers et les princesses ?
Oui, mais il va être l'heure d'aller au lit !

LES DÉBUTS DU MOYEN ÂGE

481
Clovis devient roi des Francs à la mort de son père Childéric.

496
À Reims, baptême de Clovis par l'évêque Rémi.

511
Mort de Clovis ; division du royaume des Francs.
Les rois Mérovingiens se succèdent jusqu'en 751.

732
L'avancée des Sarrasins est stoppée
par l'armée de Charles Martel à Poitiers.

751
Pépin le Bref fonde la dynastie des Carolingiens
qui va régner jusqu'en 987.

768
Début du règne de Charles Ier, dit Charlemagne.

800
Charlemagne est sacré empereur par le pape.

843
Le Traité de Verdun partage l'empire carolingien.

845-890
Raids successifs des Vikings, qui assiègent Paris.

987
Début de la dynastie des Capétiens.

En 481, Clovis, âgé de seize ans, devient leur roi à la suite de la mort de son père, Childéric Ier. Il est hissé sur le pavois.

Ce jeune chef est hardi et sans pitié. Ses soldats sont armés de longues épées et de haches appelées francisques.

En 486, Clovis s'empare du royaume de Syagrius (le Bassin parisien et la Normandie) en gagnant la bataille de Soissons.

SELON LA TRADITION, LE BUTIN EST PARTAGÉ EN LOTS TIRÉS ENSUITE AU SORT ENTRE SOLDATS.
Mettez-moi ce vase de côté, l'évêque me l'a demandé.
Bien Clovis.

UN SOLDAT PROTESTE.
Ce n'est pas juste !
BLANG

LORS D'UNE INSPECTION DE SON ARMÉE, CLOVIS SE VENGE DE CET AFFRONT.
Ainsi as-tu fait au vase de Soissons !

VERS 493, IL ÉPOUSE CLOTILDE, UNE PRINCESSE BURGONDE CHRÉTIENNE.
De cette façon, je m'allie aux Burgondes et aux chrétiens.

EN 496, IL COMBAT LES REDOUTABLES ALAMANS SUR LES BORDS DU RHIN.

MAIS UNE CHARGE FURIEUSE FAIT RECULER LES FRANCS.
Dieu que prie Clotilde, si tu me donnes la victoire, je te promets de me faire baptiser !

OR, LE COMBAT S'INVERSE.
Les Alamans sont en déroute !

Mon royaume s'étend.
Souviens-toi de ton serment, Clovis.
Je devrais me convertir ?

*Sicambre : terme qui signifie Barbare.

Les rois descendant de Clovis sont appelés les ROIS MÉROVINGIENS, du nom de Mérovée, un ancêtre de Clovis.

CES ROIS POURSUIVENT LEURS CONQUÊTES. ILS ÉTENDENT LEURS POSSESSIONS EN ESPAGNE, GERMANIE, PROVENCE.

MAIS COMME LES FRANCS, ILS CONSIDÈRENT LE ROYAUME COMME UNE PROPRIÉTÉ PRIVÉE. ENTRE 511 ET 595, CELUI-CI EST PARTAGÉ DIX FOIS !
Je te laisse le butin mais je prends la ville de
Pas question !

LES ROIS RESTENT DES CHEFS DE CLAN. ILS DISTRIBUENT DES TERRES ET DES RÉCOMPENSES POUR S'ASSURER DES ALLIÉS.
Je te donne ma fille en mariage !

CHAQUE ROYAUME EST DIVISÉ EN COMTÉS.
Bonjour, je suis Caribert, comte de Marcheville du royaume de Neustrie.

Voyez mon vaste domaine !
De quoi attiser les convoitises.

Certes, mais j'ai mon armée.

Vous connaissez la chanson du roi Dagobert?
Le bon roi Dagobert...
avait mis sa culotte à l'envers!

Pendant son règne, entre 629 et 639, il fait des tournées dans son royaume et s'entoure de conseillers comme Éloi...
Le grand saint Éloi!

Hélas! Tout n'est pas si simple.
APRÈS DAGOBERT, LE POUVOIR EST EXERCÉ PAR LES MAIRES DU PALAIS QUI DIRIGENT LA COUR DU ROI. ILS SE SUCCÈDENT PARFOIS DE PÈRE EN FILS.
Est-il vrai qu'on m'appelle le «roi fainéant»?
Pourtant, vous vous déplacez sans cesse.

C'est vrai. Après Orléans, où irons-nous avec ma garde et mes conseillers?
À Paris, puis à Metz.
À Paris, nous verrons cet orfèvre...
pour qu'il rajoute quelques pierres à ma couronne.
Pensez à notre vaisselle!

J'utilise la technique du «cloisonné» qui me permet de fixer des pierres dans des alvéoles d'or ou d'argent.

Voyez ce calice, cette croix ou ce chandelier...

À cette époque, tout n'est pas si brillant...

!
CRAC

Les routes sont en triste état!
L'insécurité est grande... Réparons, pour arriver en ville avant la nuit!

Regarde : les remparts sont démolis.

Admire ce mélange des modes. Les guerriers francs côtoyent les notables gallo.romains
C'est comme les lois...

Les Gallo-Romains obéissent aux lois romaines et les Francs, eux...
sont régis par la loi salique.

Il paraît que cet homme a été condamné à 30 sous pour le vol d'un cheval...
Pour le meurtre d'un Franc, il aurait dû donner 200!

Et s'il ne peut pas payer?
Il devient l'esclave de ses victimes. C'est la loi salique, elle est écrite!

Allons prendre un bain aux thermes.
Fais attention. Ce chien, on ne sait pas s'il préfère mordre les Francs ou les Romains.
CAVE CANEM!

L'ÉGLISE EXERCE UN RÔLE IMPORTANT. LES ÉVÊQUES PERÇOIVENT DES AMENDES, AIDENT LES PAUVRES, RENDENT LA JUSTICE.
De quelle faute es-tu coupable ?

LES ÉVÊQUES SONT DÉSIGNÉS PAR LE ROI. CERTAINS DEVIENNENT SES CONSEILLERS DE GRANDE INFLUENCE.
Wandrille, je te veux à ma cour !

LES MONASTÈRES ACCUEILLANT DES MOINES SE MULTIPLIENT. À LA FIN DU VIE SIÈCLE, UN IRLANDAIS NOMMÉ COLOMBAN EN FONDE PLUSIEURS EN BOURGOGNE.

LES MOINES MÈNENT UNE VIE AUSTÈRE SOUS LA DIRECTION D'UN ABBÉ.

AU DÉBUT DU VIIE SIÈCLE, LA RÈGLE DE SAINT BENOÎT DE NURSIE ÉQUILIBRE LA LECTURE, LA PRIÈRE ET LE TRAVAIL MANUEL.

LES SAINTS SONT VÉNÉRÉS. LEURS RESTES OU RELIQUES CONSERVÉS DANS DES COFFRES, OU RELIQUAIRES, FONT L'OBJET D'UN CULTE.

LE SAINT LE PLUS POPULAIRE EST MARTIN (MORT EN 397) DONT LE TOMBEAU SE TROUVE DANS LA RICHE ABBAYE DE TOURS.

EN 732, PRÈS DE POITIERS, C'EST LE CHOC DE LA BATAILLE. EN RANGS SERRÉS, LES FRANCS FORMENT UN MUR CONTRE LEQUEL S'ÉCRASENT LES CAVALIERS ARABES.

Le fils de Charles Martel, nommé Pépin, détrône le roi mérovingien Childéric III.
Ils peuvent se moquer de ma petite taille et m'appeler Pépin le Bref...
En attendant...

Childéric ne pourra plus régner puisqu'il est tondu !
Un chef franc sans longs cheveux ne peut plus commander !

En 751, à Soissons, Pépin se fait élire par les nobles du royaume...
Pépin, nous te faisons roi !

... puis à l'abbaye de Saint-Denis, il se fait sacrer par le pape.
Normal : tu m'as bien défendu contre les Lombards.

Pépin le Bref a chassé le dernier roi mérovingien. Il fonde la dynastie des ROIS CAROLINGIENS qui vont régner en France jusqu'en 987.
À sa mort en 768 commence le règne d'un de ses fils : Charles, dit Charles le Grand, ou encore Charlemagne.
Quelle imposante stature, Ô Charles !
Je ne la tiens pas de mon père, mais de ma mère Berthe au grand pied !

*Cet épisode est raconté dans la célèbre « Chanson de Roland », long poème mis par écrit au XIe siècle.

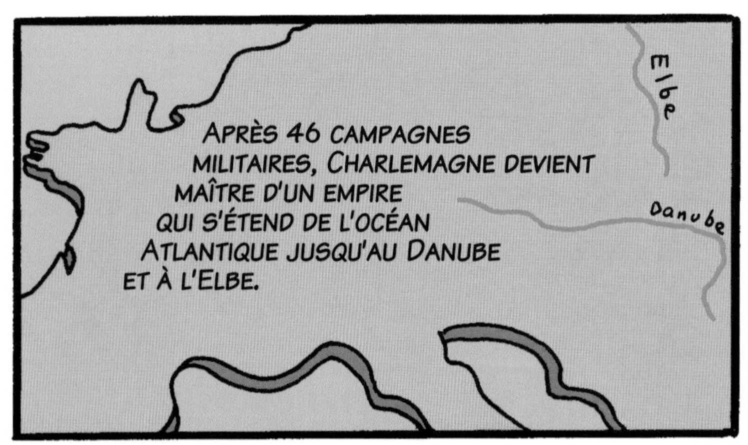
Après 46 campagnes militaires, Charlemagne devient maître d'un empire qui s'étend de l'océan Atlantique jusqu'au Danube et à l'Elbe.
Elbe
Danube

Il défend la foi chrétienne.
Il oblige les vaincus à se convertir.
Convertis-toi, je le veux !

Il protège l'Église et soutient le pape.
La nuit de Noël de l'an 800, dans la basilique Saint-Pierre à Rome, le pape lui pose sur la tête la couronne impériale.
À Charles Auguste, couronné par Dieu, grand et pacifique empereur des Romains, vie et victoire !

Ce roi barbare est le premier à porter le titre d'empereur romain d'Occident !

Lors des grandes circonstances, Charlemagne montre les attributs de sa puissance.
Ce globe symbolise mon pouvoir exercé au nom de Dieu !

*Missi dominici: les envoyés du maître.

L'unification de l'empire passera par la monnaie unique, les poids et les mesures unifiés.
Voilà, c'est écrit, je signe !
KAROLUS
Ô Charles, l'architecte a apporté la maquett du palais d'Aix la Chapelle.
Ici la salle du Trône qui sera décorée de peintures.
Là, les thermes alimentés par une source d'eau chaude.
Cette chapelle octogonale sera une merveille !

Les travaux avancent bien ?
Oui, venez voir la coupole.

Elle sera recouverte de mosaïques.
Mon trône sera ici, n'est-ce pas ? Ça sera prêt pour la visite du calife ?

Le calife va venir avec le vizir?
Celui qui veut devenir calife à la place du calife?
Je ne sais pas... En tout cas, le Calife de Bagdad a fait un gros cadeau à Charlemagne...
Un éléphant!
Je le mettrai dans la ménagerie, où j'ai déjà un lion.
Il n'aura pas froid?
Non! S'il le faut, je lui offrirai un bain dans mes thermes.
Et cette vaste construction?
C'est la basilique. Des moines y recopient des manuscrits.
Quelle table!
Un marché permanent approvisionne le palais.
CE PALAIS EST À L'ORIGINE DE LA VILLE D'AIX-LA-CHAPELLE. IL SERA LA RÉSIDENCE DES EMPEREURS DE 794 À 870. AUJOURD'HUI, IL NE RESTE QUE LA CHAPELLE.

Et il n'y avait pas d'école dans ce palais?
Pourtant, c'est Charlemagne qui a inventé l'école, non?

CHARLEMAGNE N'A PAS INVENTÉ L'ÉCOLE, ELLE EXISTAIT AVANT LUI MAIS IL L'A DÉVELOPPÉE.
J'ai besoin d'hommes qui sachent écrire, lire et compter!
Je vais moi-même apprendre à écrire!

Bonjour, Maître Alcuin.
Bonjour Charles. Prends ta plume.

Il faudra aussi fonder ici une école destinée à former les fonctionnaires...
Qui seront capables de répandre le savoir dans tout l'empire!

Ces fils de bonne famille se rendent bien tôt à l'église...
C'est qu'ils vont à l'école!

LES MAÎTRES D'ÉCOLE SONT DES MOINES OU DES PRÊTRES.
Aujourd'hui, grammaire, littérature et philosophie.

ON APPREND AUSSI LES MATHÉMATIQUES, L'ASTRONOMIE. IL Y A ÉGALEMENT DES COURS DE CHANT, DE MUSIQUE... CE QUI PERMET AUX ÉCOLIERS DE CHANTER LORS DES CÉRÉMONIES.

*Scriptorium : l'atelier dans lequel les moines réalisent leurs copies.

*Eginhard: auteur d'une « *Vie de Charlemagne* » écrite en latin (début du IXe siècle)

L'ARCHITECTURE RELIGIEUSE CONNAÎT UN GRAND ESSOR. ENTRE 768 ET 855, ON CONSTRUIT PAR CENTAINES ÉGLISES ET MONASTÈRES.
L'évêque Théodulphe nous fait là une bien belle basilique...

Magnifique coupole!
Ces mosaïques, quelle richesse!

Malheureusement, cette richesse n'est pas partout...

LES MORTS SONT ENTERRÉS DANS UN ENCLOS À L'ÉCART DU VILLAGE. LA POPULATION S'ACCROÎT, MÊME SI LA MORTALITÉ INFANTILE EST ÉNORME.

UN COUPLE DOIT METTRE AU MONDE SIX ENFANTS POUR ÊTRE SÛR QUE DEUX SURVIVENT.

LE CLIMAT SE RÉCHAUFFE: LES GLACIERS ET LES FORÊTS DE SAPINS RECULENT.
Tant mieux! Ça nous fait plus de terres à cultiver.

Ça n'empêche que nous ne mangeons que du pain et de la bouillie de céréales!
Tu oublies nos poules, nos poulets et nos pigeons!

Je cherche mon cousin Martin.
Ah, le paysan semi-libre? Il est locataire de nos terres.

Mais ici, vous êtes sur la réserve. C'est là que travaillent les esclaves.

Martin, lui, doit être sur la manse, les terres louées.
Merci.
Cousin!
Cousin!
La belle récolte que tu as là!
La moitié va au propriétaire.

Tu ne préférerais pas être comme Bertrand, propriétaire d'une petite exploitation?
Certes...

Mais il faudrait de l'argent, et un grain de blé n'en rend que trois!..

et je suis bien content de pouvoir me réfugier au monastère quand il y a un danger...
DONG DONG
Tu n'es pas en sécurité au hameau?

Du chaume pour le toit, du bois et du torchis pour les murs, ça brûle vite...

Tu viens avec moi à la ville ? Je dois acheter un soc de charrue, tu me conseilleras.
Vois le moulin qu'a fait construire l'abbé !

C'est ici que tu fais moudre ton grain ?
Oui mais c'est cher.

Au moins, nous n'aurons pas à faire de détour : Charlemagne a fait faire un pont.

Quelle foule !
La foire de Bourg-en-Vaux attire du monde.

Tu as de l'argent ?
Oui : douze deniers.
Soit un sou !

Alors, tu peux m'offrir une soupe de fèves !

UN SEUL DE SES TROIS FILS SURVIT : LOUIS LE PIEUX, QUI EST L'UNIQUE HÉRITIER.

DÈS 817, LOUIS DIVISE L'EMPIRE ENTRE SES TROIS FILS.

MAIS EN 823, TOUT EST REMIS EN CAUSE...

L'ARISTOCRATIE SE SOULÈVE, LES FRÈRES SE RÉVOLTENT ET LÈVENT LEURS ARMÉES ; C'EST LA GUERRE CIVILE.

LES GRANDES FAMILLES DU ROYAUME SUPPLIENT LES FRÈRES DE FAIRE LA PAIX. EN 843 EST CONCLU LE PARTAGE DE VERDUN.
Louis le Germanique reçoit la Francie orientale, lointaine ancêtre de l'Allemagne.
OCÉAN ATLANTIQUE
Charles le Chauve obtient la Francie occidentale, base du futur royaume de France.
Lothaire acquiert la longue bande de terre s'étirant des Pays-Bas actuels jusqu'à l'Italie qui porte son nom : la Lotharingie.
ESPAGNE
MER MÉDITERRANÉE

LOTHAIRE PREND LE TITRE D'EMPEREUR.
Vive la Lotharingie !
Hum !

POURTANT, CE TRAITÉ DE VERDUN SÈME LA DISCORDE : LE TERRITOIRE DE LA LOTHARINGIE, SITUÉ ENTRE LES FUTURES FRANCE ET ALLEMAGNE, SERA L'OBJET DE LUTTES INCESSANTES.

AFFAIBLIS, LES NOUVEAUX ROYAUMES NE SONT PAS ASSEZ FORTS POUR RÉSISTER À LA NOUVELLE VAGUE D'ENVAHISSEURS.
Les Normands !
Les Hongrois !
Les Sarrasins !

LEURS BATEAUX, LES DRAKKARS, SONT À LA POINTE DE LA TECHNOLOGIE DE L'ÉPOQUE. ILS LEUR ASSURENT UNE SUPÉRIORITÉ ABSOLUE SUR LES MERS ET LES FLEUVES.

Une voile carrée qui peut s'abattre pour laisser ramer l'équipage.

La proue est sculptée en forme de tête de dragon. Les Vikings pensent que cet animal repousse les mauvais esprits qui hantent les mers.

La coque est faite de planches superposées. La quille est taillée dans un seul bloc de bois.

À BORD DE CES NAVIRES, LES VIKINGS RAVAGENT LES CÔTES ET PRENNENT NANTES ET TOULOUSE. EN 845, À L'AIDE D'UNE FLOTTE PUISSANTE, ILS REMONTENT LA SEINE ET ASSIÈGENT PARIS.
Les Vikings!

JUSQU'EN 895, ILS ASSIÈGENT SIX FOIS LA CAPITALE!
De la fureur des hommes du Nord, délivre-nous Seigneur!

LES VIKINGS CHOISISSENT LES MOMENTS FAVORABLES POUR LANCER LEURS RAIDS : LES JOURS DE MARCHÉ OU LORS DES OFFICES RELIGIEUX.
DONG DONG
Par Thot, les voilà occupés, allons-y!

ILS PILLENT LES ÉGLISES, LES ABBAYES...

ILS CAPTURENT DES PRISONNIERS QUI SERONT REVENDUS COMME ESCLAVES ET METTENT LE FEU POUR RETARDER LES POURSUITES.

PARFOIS, IL FAUT NÉGOCIER LEUR DÉPART EN LEUR OFFRANT DE GROSSES SOMMES D'ARGENT : LES TRIBUTS. C'EST LE CAS À PARIS EN 845 ET EN 885.
Ouf, les voilà partis!
Ça nous a coûté cher.
Ils reviendront.
Si seulement nous avions un roi capable de nous défendre!

Ce sont désormais les seigneurs qui protègent les populations, comme les Robertiens, une riche famille franque qui tire son nom de son premier chef: Robert le Fort (815-866).
Allons nous mettre à l'abri!
Heureusement que les Robertiens ont construit cette place forte!
Entrez vite!
Merci Eudes!
Moi, Eudes, fils de Robert le Fort, je résisterai aux Vikings!
Bravo Eudes!
Vive Eudes!
C'est lui qui doit être roi!
Charles est un incapable! Il doit partir!
Au début du Xe siècle, l'invasion viking s'essouffle.
Rollon, nous devrions installer ici notre camp.
Rollon fait de Rouen sa place d'armes.
D'ici, je vais lancer des raids sur la Manche...
... et faire payer leur roi, celui qu'ils appellent Charles le Simple!
Ô Charles! Le Viking Rollon est à nos portes. Il faut lui donner un tribut!
Les caisses de mon royaume sont vides!
Je vais lui donner une partie du territoire... la Basse-Seine. À condition...

Ainsi s'éteint la dynastie des CAROLINGIENS. Mais je pense qu'il est temps, ici, d'éteindre... la lumière!
J'éteins.
CLAP

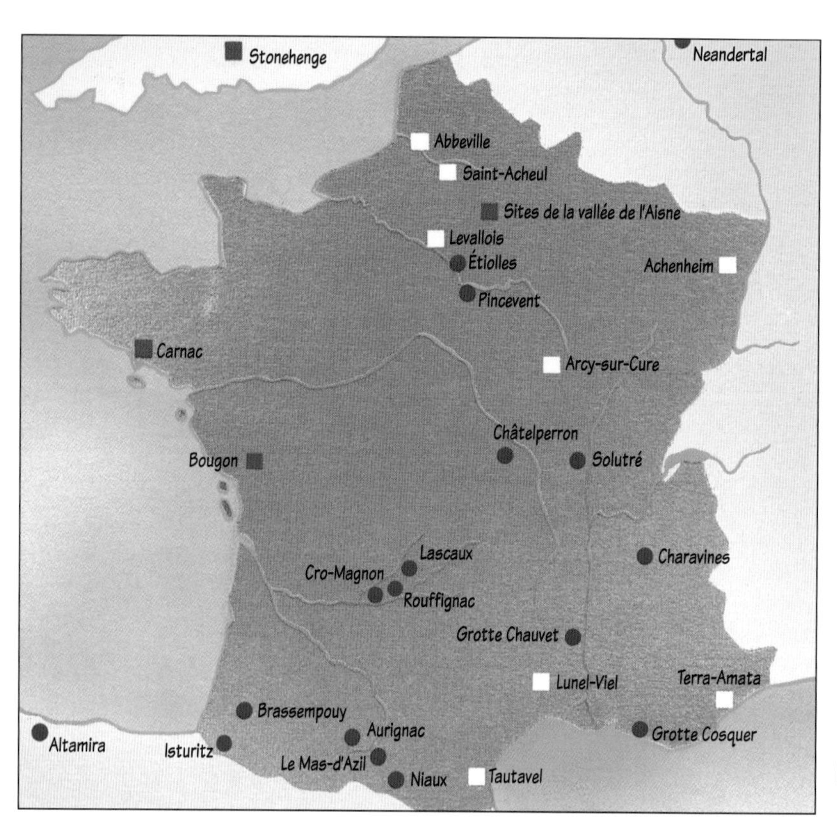

▶ LA FRANCE PRÉHISTORIQUE

- ☐ Sites de plus de 150 000 ans
- ● Sites entre 150 000 et 6 000 ans av. J.-C.
- ■ Sites entre 6 000 et 1500 ans av. J.-C.

PEUPLES ET VILLES DE LA GAULE ◀

Vénètes: nom de peuples gaulois

AQUITAINE: nom donné aux régions par Jules César

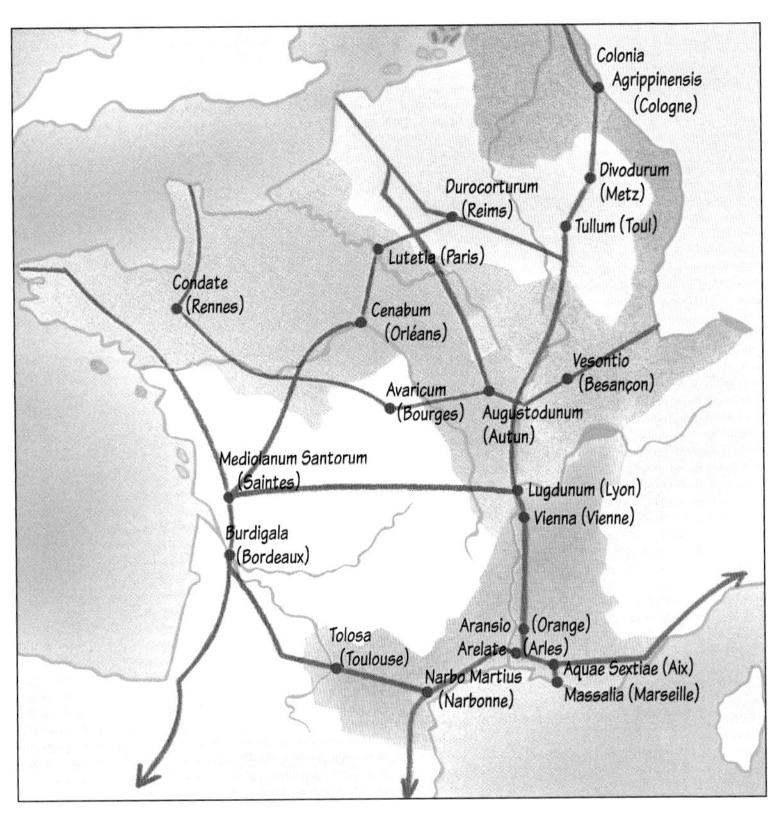

▶ LA GAULE ROMAINE AU 1ER SIÈCLE APRÈS J.-C.

- Aquitaine
- Narbonnaise
- Belgique
- Germanie inférieure
- Germanie supérieure
- Lyonnaise
- Principales voies romaines
- ● Principales cités gallo-romaines

L'EMPIRE CAROLINGIEN ◀

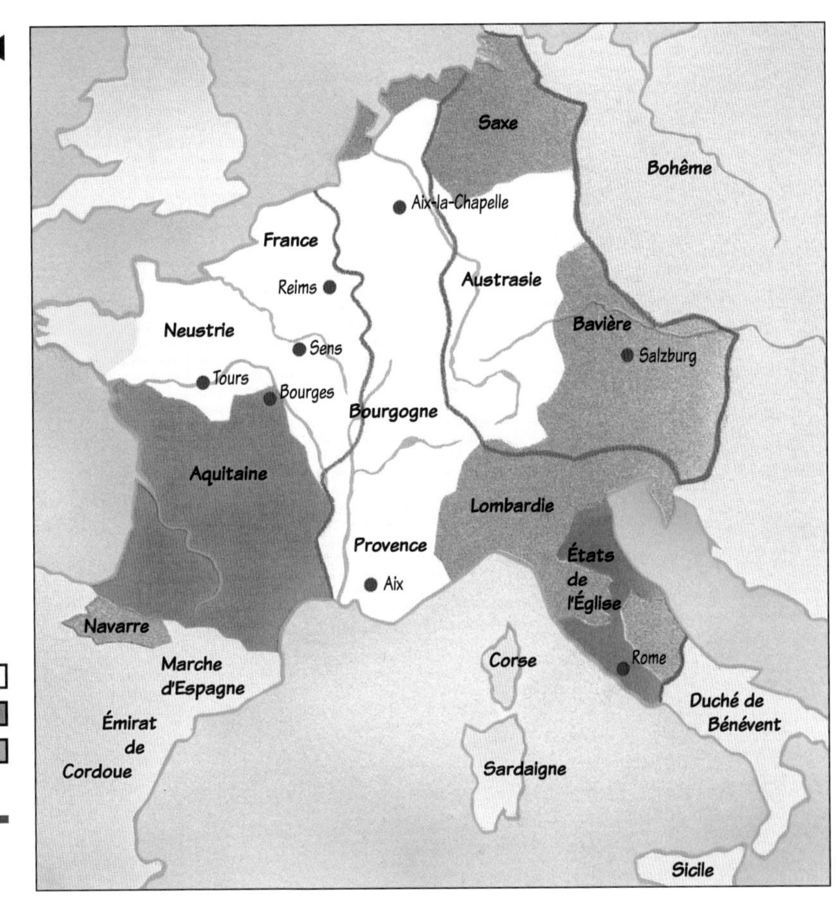

- Royaume des Francs en 751
- Conquêtes de Pépin le Bref
- Conquêtes de Charlemagne
- Limites de Verdun en 843 divisant l'Empire en trois États

INDEX DES PRINCIPAUX NOMS DE LIEUX ET DE PERSONNES